Depuis tout petit, Jeannot est **très peureux** et en grandissant, les choses ne se sont pas tellement améliorées. Il suffit d'une porte qui claque pour que son cœur se mette à tambouriner ! **Radaboum !**

Du coup, certains adorent l'embêter avec ça. Lui ficher la **trouille**, c'est tellement facile…

Le voilà dans le parc, en train de ramasser des fleurs pour son herbier lorsque les buissons se mettent à trembler. Jeannot reste **figé**, espérant que ce soit juste un gentil petit **écureuil**…

Mais voilà que surgit de derrière les fourrés un **affreux dragon** !

Il s'enfuit en hurlant de terreur.

– AU SECOURS ! **UN HORRIBLE MONSTRE !** À L'AIIIIIIIIIIIDE !

En sortant du parc, il tombe sur la bande des **Minijusticiers**. Une super bande de super héros, composée d'**Yvon** dit Supermini qui peut réduire des objets, **Greg** dit Superprout qui peut voler grâce à des pets fulgurants, **Éliette** dite Superlunettes qui voit à travers les murs, **Nathan** dit Supergadin qui peut étirer son corps élastique à volonté et **Marion** dite Superpleurnicharde qui peut contrôler la météo.

Il essaie de leur expliquer ce qui lui arrive, mais c'est difficile étant donné son état de **panique**.

– Dans le parc ! Un dra… Un dra…

Éliette fronce les sourcils :

– Un **drap** ? Allons, ça ne fait pas peur ça !

– Non ! Pas un drap… Un dradra… Un dradra…

Marion déclenche alors une petite **pluie** qui s'abat sur le trouillard et lui fait retrouver ses esprits.

– Un dragon ! J'ai vu un dragon au parc !

Les Minijusticiers sont étonnés : un dragon, ce n'est pas possible. Pourtant, si Jeannot est un trouillard, ce n'est pas un **menteur**…

Ils décident de mener l'**enquête** et tombent effectivement sur d'inquiétants **indices** : des traces de pas suspectes et une drôle de matière qu'on pourrait prendre pour de la bave de **monstre**…

Jeannot panique.

– Vous voyez ? J'avais raison. Un terrible dragon rôde…

Éliette analyse ces « preuves » avec ses super lunettes et a très vite des doutes. Elle suit alors une piste qui mène toute l'équipe à la **cabane du jardinier**.

En y pénétrant, ils découvrent un coffre avec à l'intérieur tout un tas d'objets.

La fillette est formelle.

– Les traces de pas ont été faites avec ces **palmes** et la bave avec un mélange de **peinture** et de **colle**. Quelqu'un t'a fait marcher, Jeannot…

– Mais comment savoir qui a fait le coup ? demande Nathan.

– Facile ! affirme Éliette. Les criminels laissent toujours des **indices**.

Effectivement, après une fouille minutieuse, nos héros découvrent les **clés** de Jimmy, des traces de **chaussures** ne pouvant appartenir qu'à Henri, et une mèche de **cheveux** de Carmen.

– Voilà notre **trio de truands** ! conclut Nathan, satisfait.

– Oui, reprend Éliette, et comme les criminels reviennent toujours sur le lieu de leur crime, on va leur donner une bonne leçon !

– Ils vont avoir la frousse de leur vie, se réjouit Jeannot.

Plus tard, alors que la nuit est tombée depuis longtemps, **cachés dans des buissons** juste à côté de la cabane, les Minijusticiers entendent des bruits de pas.

Éliette chuchote :

– Je vous avais dit qu'ils reviendraient…

Effectivement, c'est bien **Henri**, **Carmen** et *Jimmy* qui s'approchent.

C'est le moment de mettre le plan à exécution. Nos mini héros se transforment !

Tadadaaaaaawiiiizikaouim !

Superpleurnicharde provoque un épais brouillard.

– **C'est quoi ça** ? s'inquiète Henri.

– C'est bizarre ! s'affole Carmen. C'est venu d'un coup…

Soudain, de cette épaisse fumée surgit un monstre terrifiant ! Bien plus terrifiant qu'un dragon…

En réalité, ce « monstre » est une **gigantesque marionnette** manipulée par les Minijusticiers.

Carmen, Henri et Jimmy s'enfuient en courant, morts de peur. Mais le monstre, grâce à Superprout, s'envole et les poursuit !

Les trois fuyards se cachent derrière un rocher que Supermini réduit et les voilà face à la **terrifiante créature**. Ils en sont sûrs, leur dernière heure est arrivée…

C'est alors que quelqu'un saute sur le monstre pour les défendre !

Et ce quelqu'un… C'est **Jeannot** !

Armé d'une grosse cuillère, il lui tape dessus ! **Boum ! Paf !** La créature abandonne le combat et déguerpit en hurlant…

Carmen, Henri et Jimmy n'en reviennent pas.

– Jeannot, on ne savait pas que tu étais **si courageux** !

– Oui, reprend Henri. Tu es même plus courageux que nous trois réunis. Et tu nous as sauvé la vie…

Jeannot est ému. C'est la première fois qu'on lui dit ça.

Quelques jours plus tard, il se rend au repaire des Minijusticiers. Très fier, il explique qu'il est allé au parc, qu'il a vu des buissons bouger et qu'il n'a **même pas eu peur**. Et finalement, c'était juste un écureuil.

Pour le féliciter, les Minijusticiers lui ont acheté un petit **cadeau**.

Un dragon… **en peluche !**

Mini conseil :

Être un peu peureux, **c'est normal**, mais il ne faut pas non plus craindre son ombre, car il est difficile de la semer…

Collection dirigée par Lise Boëll.

"Drôle de dragon"

FUTURIKON

© MMXII Futurikon. Tous droits réservés.
D'après l'œuvre originale d'Hélène Bruller et Zep
Adaptation littéraire : Vincent Costi en collaboration avec Grégory Baranès
Scénario de Benedetta Spadoni et Denis Braccini en collaboration avec Grégory Baranès
Adaptation pour Albin Michel : Fabrice Ravier

Publication originale :
© Éditions Albin Michel, S. A., 2013
22, rue Huyghens - 75014 Paris
www.albin-michel.fr
Conception éditoriale : Lise Boëll
Éditorial : Céline Schmitt
Direction artistique : Ipokamp
ISBN 978-2-226-24822-0

Loi n°49-956 du 16 juillet 1949 sur les publications destinées à la jeunesse.

Achevé d'imprimer en Italie.
Dépôt légal : septembre 2013.